LE DISCOURS DE PEPITO

AUX

NATIONS UNIES

LE DISCOURS D

PUBLICATIONS DES NATIONS UNIES
Droits d'auteur © Nations Unies, 1985
Tous droits réservés
Imprimé aux Etats-Unis d'Amérique
DPI/800
Numéro de vente : F.85.1.7
ISBN : 92-1-200079-7

Pepito aimait sourire et aimait écouter. Il n'était pas très grand, mais son grand sourire radieux faisait que tout le monde lui souriait en retour. Et tout le monde le savait, sauf Pepito. Pepito savait seulement qu'il aimait sourire.

Pepito amenait les autres à s'entendre. Si ses camarades de classe se disputaient, ils s'arrêtaient dès que Pepito se joignait à eux. Si les garçons de son quartier commençaient à se battre, Pepito souriait et le combat cessait.

Pepito apprenait beaucoup de choses en écoutant et en souriant. Il entendait parler des Nations Unies. On disait que c'était un endroit où toutes les nations de la terre pouvaient se réunir pour parler de leurs problèmes et travailler à la paix mondiale. Pepito, qui aimait la paix, était très intéressé.

Il entendait aussi parler des Nations Unies à l'école et à la télévision. Les pays membres paraissaient être souvent en conflit. "Pourquoi les nations doivent-elles se quereller?" se demandait Pepito. "Pourquoi ne peuvent-elles pas apprendre à s'entendre?" Il réfléchit longtemps à cette ques-

tion. Et plus il réfléchissait, plus il était convaincu qu'il fallait faire quelque chose pour aider les Nations Unies à apporter la paix au monde.

Un soir, pendant le dîner, Pepito prit une décision. Il avait devant lui une pleine assiettée de riz à l'espagnole. Il y avait aussi pour dîner des petits pains danois, du gruyère suisse, et une salade de laitue bien croquante avec de la mayonnaise française. Pepito savait ce qu'il y aurait pour dessert — une tarte aux pommes américaine.

"Je suis sûr que les Nations Unies seraient contentes de ce dîner", se dit Pepito, "toutes les parties vont bien ensemble."

Mais, avant même la première bouchée, il se redressa et annonça : "Je vais faire un discours."

"Ecoutez tous !", dit le père de Pepito. Et pour mieux écouter, il posa son couteau et sa fourchette.

"Je vais faire un discours aux Nations Unies", poursuivit Pepito.

"Oh", dit son père en reprenant son couteau et sa fourchette, "quel pays vas-tu représenter ?"

"Tous les pays", dit Pepito.

"Et de quoi vas-tu parler ?" demanda son père.

"Des Nations Unies et de la paix."

"C'est un sujet très vaste", dit le père de Pepito.

Pepito savait que son père avait raison, mais il était résolu à aider les Nations Unies. Il allait commencer tout de suite à préparer son discours.

Après le dîner, Pepito alla s'asseoir sur l'escalier de secours installé à l'extérieur de son appartement. C'était un endroit parfait pour réfléchir. De là, on avait une bonne vue, et à cette heure-ci on y était au calme, à part le bruit des voitures tout en bas.

Pepito regarda à gauche. On voyait là-bas se dresser, haut et magnifique, le bâtiment des Nations Unies. Toutes ses fenêtres miroitaient dans les rayons obliques du soleil couchant.

Pepito regarda à droite. Il ne pouvait pas la voir, mais il savait que la statue de la Liberté se tenait là-bas, brandissant sa torche pour accueillir les immigrants sur les côtes d'Amérique.

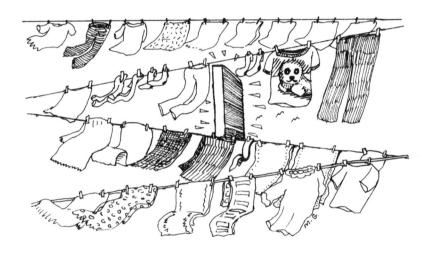

Au milieu, entre la statue de la Liberté et le bâtiment des Nations Unies, Mme O'Leary avait suspendu plusieurs rangées de linge à sécher, et Pepito ne pouvait pas voir grand-chose dans cette direction.

Mais il sentait que tout était grand autour de lui. Pepito aspira profondément l'air du soir et écouta le grondement des automobiles monter de la rue. "Ce monde est beau", dit-il, "il est fait pour de grandes choses. Les Nations Unies doivent être fières de le représenter et de le protéger."

Chaque soir, Pepito allait s'asseoir sur l'escalier de secours pour travailler à son discours. Chaque nuit il regardait à droite vers la statue de la Liberté et à gauche le bâtiment des Nations Unies. Il se demandait ce qu'il y avait au milieu, derrière le linge de Mme O'Leary, ou de Mme Callahan, ou de Mme Aufheiser, ou celui de la veuve Pulaski qui faisait la lessive pour d'autres personnes et couvrait de linge tous les fils.

Soir après soir, Pepito travaillait à son discours, parfois fronçant les sourcils lorsqu'un coup de vent lui rabattait une mèche de cheveux sur le front, parfois assis sans bouger, ses yeux clairs fixés sur le ciel, cherchant un mot qui ne voulait pas venir. Et toujours, lorsqu'enfin il trouvait le mot juste, un large sourire apparaissait sur son visage rond et couvert de taches de rousseur. Pepito n'écrivait pas son discours. Il l'apprenait par cœur, tous les mots dans l'ordre, parce que ce discours reflétait exactement sa pensée et les sentiments de son cœur.

Au fur et à mesure que les jours passaient, Pepito continuait à écouter et à s'instruire. Il découvrait de nouvelles idées à ajouter à son discours aux Nations Unies. Même lorsqu'il assistait à une discussion entre M. Graccioso, le marchand de fruits et légumes, et M. Roberts, le marchand de bonbons, Pepito y trouvait une idée.

M. Roberts et M. Graccioso s'échauffaient tellement en parlant de la guerre qu'ils paraissaient être eux-mêmes prêts à se battre. Mais, s'ils baissaient les yeux, ils voyaient Pepito qui les regardait en souriant. Alors ils lui souriaient aussi et s'apercevaient que la matinée était belle. Bientôt après, M. Graccioso était occupé à vendre des poires juteuses d'Amérique du Nord et de grosses bananes jaunes d'Amérique du Sud à un monsieur grec et à sa femme arménienne. En même temps, dans la confiserie à côté, M. Roberts parlait à ses clients en trois langues différentes.

"C'est l'esprit des Nations Unies", pensait Pepito. "Les nations, comme les personnes, doivent apprendre à vivre ensemble. Je le dirai dans mon discours."

Pepito recueillait de plus en plus de renseignements pour son discours. Chaque fois qu'il y ajoutait quelque chose de nouveau, il souriait, mais c'est quand le discours fut terminé qu'il eut son plus large sourire.

"Je suis prêt", dit-il, regardant d'abord vers la statue de la Liberté, puis le bâtiment des Nations Unies, et enfin la lessive de Mme Pulaski qui lui bouchait la vue. Les chemises, les pantalons, les robes n'avaient pas du tout l'air d'être des chemises, des pantalons ou des robes, mais plutôt des êtres humains, une foule d'êtres humains.

"Délégués des Nations Unies", commença Pepito, entamant son discours. Il le récita du début à la fin. C'était un beau discours — un discours qui aiderait sûrement à résoudre les problèmes du monde.

Bien sûr, à la fin, personne n'applaudit. Les gens devant lui étaient redevenus les chemises, les pantalons et les robes que Mme Pulaski avait suspendus sur le fil à linge.

"Mais il faut que quelqu'un m'écoute réciter avant que je ne prononce mon discours devant les Nations Unies", pensa Pepito, "autrement, comment puis-je savoir qu'il est bon ?"

Il s'élança vers son père, puis il s'arrêta. Non, son père travaillait beaucoup dans la journée, et le soir il suivait des cours de perfectionnement.

Sa mère ? Non, elle était occupée à tenir la maison et à faire la cuisine. Même le soir, elle était occupée à prévoir les travaux du lendemain.

M. Graccioso ou M. Roberts ?

Pepito se précipita dans le magasin de M. Graccioso et le trouva de nouveau en train de se disputer avec M. Roberts. Pepito leur sourit et dit : "Voulez-vous écouter mon discours ?"

M. Graccioso et M. Roberts baissèrent les yeux vers Pepito. "Quel discours ?" demandèrent-ils.

"Je vais parler aux Nations Unies et leur dire comment faire pour empêcher les peuples du monde de se battre", dit Pepito.

"Ah, ah, ah !" fit M. Roberts en riant. "Pepito croit qu'il peut empêcher les gens de se battre. Qu'est-ce que vous en pensez, M. Graccioso ?"

M. Graccioso hocha la tête.

"J'ai un si beau discours", insista Pepito, "est-ce que vous ne voulez pas l'écouter ?"

"Il faut que je m'occupe de mes clients", dit M. Roberts en voyant un homme entrer dans sa confiserie.

"Et moi j'ai beaucoup de travail", dit M. Graccioso. Il prit une pomme rouge et la frotta sur son tablier blanc pour la faire briller.

Pepito était très déçu. Il se mit à marcher le long de la rue qui était pleine de monde. Des femmes faisaient leurs achats et bavardaient avec les marchands. Des vendeurs de journaux criaient les titres de l'édition du soir. Partout la foule affluait et chacun se pressait vers ses occupations.

Pepito entra dans le jardin public et s'assit sur
un banc. Il pouvait entendre la musique indis-
tincte d'un manège, les voix excitées d'enfants qui
s'éclaboussaient dans le bassin à patauger, et les
cris d'autres enfants qui jouaient. Il regardait sans
bouger un marin qui donnait des miettes aux pi-
geons. Une mère poussait une voiture d'enfant
dans l'allée devant lui, et un couple âgé flânait
dans les motifs d'ombre et de soleil que dessinait
un érable de grande taille.

"Il devrait bien y avoir *quelqu'un* qui écoute mon discours", pensait Pepito. Mais au fond de lui-même il savait que personne ne l'écouterait. Le monde était trop occupé. Dans cette grande ville, parmi ces millions d'habitants, pas un seul ne voulait entendre le discours de Pepito.

Un chat de gouttière, qui n'avait que la peau sur les os, passa furtivement — un simple petit bout de chat gris. Pepito l'aperçut et l'appela : "Tu vas écouter mon discours !" Mais, comme il n'y avait rien à manger, le chat s'en alla.

"Toi aussi !", dit Pepito, découragé. Il s'appuya le menton dans les mains et regarda fixement devant lui. D'après toutes les histoires qu'il avait lues, il savait que maintenant quelque chose devait arriver pour venir en aide au héros. Mais rien n'arriva. Rien du tout.

Pepito rentra chez lui, mais il ne souriait pas autant que d'habitude. Quand il s'assit à table pour dîner, il ne dit rien.

"Pepito..." commença à dire sa mère, remarquant que quelque chose n'allait pas.

Son père dit : "Cette fois-ci, c'est moi qui ai une déclaration à faire."

Pepito écouta sans enthousiasme.

"Tu t'intéresses tellement aux Nations Unies", dit son père, "que ta mère et moi avons décidé de t'y emmener."

Le regard de Pepito s'éclaira soudain. Son grand sourire était revenu. "Vous... m'y emmènerez?"

"Demain", promit son père. Sa mère lui sourit parce que Pepito avait un sourire radieux.

"Je vais pouvoir faire mon discours!" dit Pepito.

"Tu as un discours?" demanda son père.

"Oui", dit Pepito, "je voulais l'essayer sur quelqu'un mais personne n'a voulu l'écouter. Maintenant, cela n'a plus d'importance. Je vais prononcer mon discours aux Nations Unies. Il est très bon — il est excellent! Je sais qu'il aura du succès!"

"Pepito", dit sa mère, "tu n'es qu'un petit garçon. Les petits garçons ne prononcent pas de discours aux Nations Unies."

"C'est un très beau discours", insista Pepito, "il apportera la paix au monde."

Le père et la mère de Pepito hochèrent la tête d'un air de doute. Un petit garçon qui prononce un discours aux Nations Unies ? C'était impossible!

"Il nous faudra convaincre Pepito", dit son père à sa mère ce soir-là, "les enfants ne prononcent pas de discours aux Nations Unies."

"J'espère qu'il ne sera pas trop déçu", dit sa mère avec inquiétude.

Pepito lui-même n'était pas du tout inquiet. Il imaginait comment il entrerait aux Nations Unies et prononcerait le discours qu'il avait préparé et appris par cœur avec tant d'application. Il expliquerait à des personnes venues de toutes les parties du monde comment vivre ensemble dans la paix.

Le lendemain matin, Pepito, sa mère et son père se réveillèrent très tôt. "Nous allons avoir une belle journée", dit son père. "Nous allons partir tôt et nous déjeunerons aux Nations Unies. Si tu veux, nous suivrons la visite guidée, et tu pourras tout voir."

Comme ils partaient, ils rencontrèrent M. Graccioso qui se tenait debout devant son magasin de fruits et légumes. "Que vos poires sont belles!" dit la mère de Pepito.

M. Graccioso eut l'air très content.

M. Roberts était à côté, dans sa confiserie. "Comment vont les affaires?" demanda le père de Pepito.

"Très bien", répondit M. Roberts.

"Ah, bon", dit en souriant le père de Pepito.

Pendant qu'ils attendaient l'autobus au coin de la rue, Mme Pulaski apparut sur le pas de la porte de son immeuble et secoua son torchon à poussière. "Où allez-vous?" leur cria-t-elle.

"Aux Nations Unies", lui cria Pepito.

"Cela va être amusant", dit Mme Pulaski, et elle continua à secouer son torchon.

"Je vais y faire un discours", lui dit Pepito en montant dans l'autobus.

L'autobus démarra, laissant Mme Pulaski debout sur les marches de l'immeuble et faisant "Hum !" dans son menton.

Après un court trajet, Pepito, son père et sa mère prirent un autre autobus dans le sens transversal. L'autobus démarrait quand soudain un taxi qui le dépassait l'accrocha sur le côté. Le conducteur de l'autobus passa la tête par la portière. Le chauffeur du taxi passa la tête par la portière. Ils se mirent tous deux à se chicaner et à se quereller jusqu'au coin de la rue suivante.

Pepito les regardait en hochant la tête. Les deux conducteurs étaient tellement absorbés dans leur dispute qu'ils faillirent brûler le feu rouge.

Un agent de police déchira l'air de son sifflet.

"Qu'est-ce que vous faites là ?" hurla-t-il.

Les conducteurs se turent.

"Nous allons aux Nations Unies", lui cria Pepito par la fenêtre de l'autobus.

L'agent de police vit le sourire de Pepito. "Qu'est-ce que tu vas faire aux Nations Unies?" demanda-t-il.

"Je vais prononcer un discours", dit Pepito.

L'agent de police se gratta la tête pendant que l'autobus redémarrait lentement.

Un coup de klaxon retentit. Pepito se retourna et vit l'agent de police aller jusqu'à la voiture et parler au conducteur. Tout le monde, dans l'autobus secoué par les cahots, avait repris son calme, tout le monde sauf le conducteur qui grommelait entre ses dents.

Lorsque Pepito, sa mère et son père descendirent de l'autobus devant les Nations Unies, le conducteur grommelait encore.

Un rayon de soleil perçait à travers le brouillard de la rivière et rendait l'avenue resplendissante. Pepito sourit au conducteur. Le conducteur cessa de grommeler et l'autobus partit.

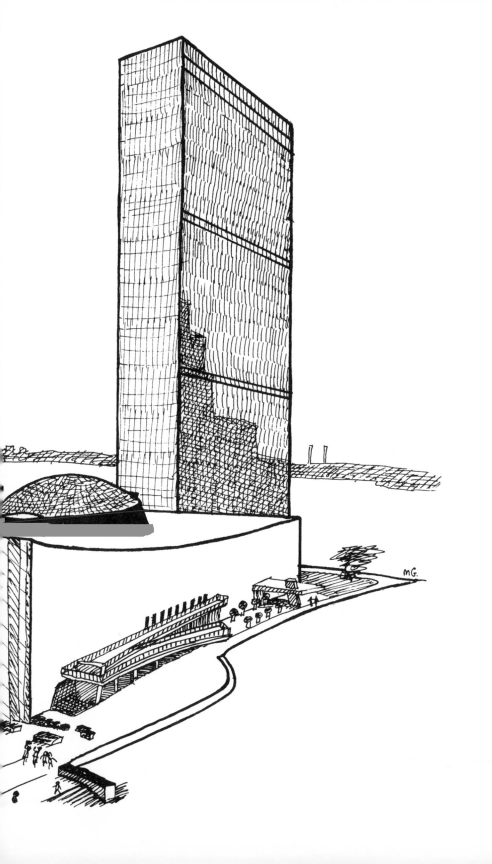

"Et bien, nous y voici", dit le père de Pepito.

Ils restèrent debout un moment devant le bâtiment du Secrétariat des Nations Unies. C'était bien là le bâtiment que Pepito avait contemplé si souvent de son escalier de secours.

Pepito leva les yeux... encore plus haut... et encore plus haut. Cette magnifique structure de verre et de marbre s'élevait si haut qu'elle semblait se fondre dans le ciel.

Pepito baissa les yeux... le long de l'admirable façade... le long des grandes fenêtres luisantes et teintées de vert... baissa les yeux... encore plus bas... et encore plus bas... jusqu'à ce qu'il revienne à lui-même. Il ne se sentait pas très grand.

"Mais je vais tout de même faire mon discours", se dit-il, "il le faut!"

"Viens, Pepito", dit son père, "nous allons entrer dans le bâtiment de l'Assemblée générale."

"Est-ce que c'est là que je vais prononcer mon discours?" demanda Pepito.

"Pepito, tu ne peux pas faire de discours ici", dit sa mère, inquiète.

"Est-ce que c'est dans le bâtiment de l'Assemblée générale que les autres personnes prononcent leur discours?" demanda Pepito à son père.

"Oui, en principe", dit son père. "C'est là que se trouve la grande salle de l'Assemblée générale."

"Allons-y", décida Pepito.

Ils suivirent l'esplanade des Nations Unies, tout au long de la rangée des drapeaux de tous les pays qui sont membres des Nations Unies. Dans le vestibule du bâtiment de l'Assemblée générale, Pepito et ses parents virent qu'une foule attendait le début de la visite des Nations Unies. Comme le guide montrait aux visiteurs les cadeaux reçus de divers pays, Pepito se dit "L'amitié existe dans le monde entier. C'est normal."

Ils virent la tapisserie murale "le Triomphe de la paix", donnée par la Belgique, et qui est l'une des plus grandes et des plus belles tapisseries qu'on ait jamais tissée. Il y avait un manteau de cérémonie, donné par le Pérou, et qui avait plus de deux mille ans. Le pendule de Foucault, cadeau des Pays-Bas, était suspendu au plafond. Son mouvement de va-et-vient montrait la rotation de la terre.

Tout cela n'était qu'un petit nombre des cadeaux extraordinaires faits aux Nations Unies par les pays du monde. Chaque cadeau avait été donné dans un esprit fraternel.

"Qu'est-ce que tu en penses ?" murmura le père de Pepito.

"S'il te plaît", dit Pepito, "quand est-ce que je pourrai prononcer mon discours?"

Ce n'est pas que Pepito se désintéressait de ce qu'il voyait pendant la visite. Seulement, il pensait que son discours était plus important.

"Et voilà, Mesdames et Messieurs", dit le guide, "la visite est terminée." Ils se retrouvèrent dans le vestibule du bâtiment de l'Assemblée générale juste au moment où les portes de la grande salle de l'Assemblée générale s'ouvraient. Ils virent sortir l'un derrière l'autre des hommes distingués, de race et de nationalité différentes. Certains avaient l'air assuré, d'autres l'air inquiet, certains étaient loquaces, d'autres silencieux. Presque tous avaient un porte-documents à la main.

"Ce sont les délégués aux Nations Unies", dit son père à Pepito.

Les délégués — aux Nations Unies? Alors la séance était terminée? Ce n'était pas possible! Pepito se précipita vers la porte au moment où on la fermait.

Il regarda à l'intérieur. C'était la grande salle de l'Assemblée générale où il espérait prononcer son discours.

Elle était vide.

Pepito se retourna sans rien dire.

"Ils se réunissent de nouveau cet après-midi", lui dit sa mère avec douceur. "Mais, Pepito… " Elle ne termina pas sa phrase, parce que le visage de Pepito resplendissait une fois de plus comme le soleil printanier que l'on voyait dehors.

Au bureau d'accueil, l'employé regarda Pepito avec attention. "Non", leur dit-il, "cet enfant a plus de cinq ans et moins de douze ans, il peut suivre les visites mais il n'a pas le droit d'assister aux séances officielles."

"J'ai un discours important à faire dans la grande salle de l'Assemblée générale", lui confia Pepito.

"Les petits garçons n'ont pas le droit de faire de discours aux Nations Unies", dit l'employé. Et il se détourna pour répondre à quelqu'un d'autre.

"Mais… "

"Pepito, moi aussi je te l'ai dit", lui rappela sa mère.

Pepito l'entendit à peine. Maintenant, c'était officiel. Les délégués des Nations Unies ne voulaient pas entendre son discours.

"Viens, Pepito", lui dit gentiment son père, "allons déjeuner au café-restaurant."

Pepito mangea de bon appétit, parce que ce n'était pas tous les jours qu'il pouvait déjeuner en ville, mais il se demandait toujours comment il pourrait prononcer son discours.

Après le déjeuner, ils se promenèrent sur l'esplanade. La mère de Pepito, avec son chapeau de couleur vive et sa robe bleue et blanche, dit gaiement : "Maintenant, qu'est-ce que nous allons faire ?"

Presque sans savoir comment, ils se retrouvèrent dans le vestibule du bâtiment de l'Assemblée générale et le guide leur demanda : "Vous recommencez la visite ?"

"C'est lui qui le veut", dit son père en montrant Pepito.

La visite se déroula à peu près comme la précédente, mais cette fois-ci Pepito écouta le guide avec attention. Il apprit davantage de choses sur les Nations Unies parce qu'il était moins préoc-

cupé par son discours. Il le savait sur le bout du doigt, et il était sûr de trouver le moyen de le prononcer en dépit de ce qu'avait pu dire l'homme du bureau d'accueil.

Pepito écouta le guide parler de tous les cadeaux reçus par les Nations Unies. "Mon discours sera mon cadeau aux Nations Unies", pensait-il.

Quand ils revinrent dans le bâtiment de l'Assemblée générale, Pepito suivit son père et sa mère dans une petite pièce située au fond du vestibule.

"Pepito", dit son père, "nous allons dans la salle de méditation pour penser à toutes les merveilles que nous avons vues et entendues."

A l'entrée de la salle de méditation, il rappela à Pepito qu'il fallait y garder le silence. A voix basse, il lut le dépliant qu'on lui avait donné :

"Cette pièce est dédiée à la paix et à ceux qui consacrent leur vie au maintien de la paix. C'est un lieu de tranquillité où seules parlent les pensées."

"C'est une jolie pièce", murmura Pepito en entrant.

"Chut!" dit sa mère.

Son père leva le doigt pour demander le silence.

En effet, c'était un lieu de tranquillité. Pepito regardait fixement, au milieu de la pièce, l'énorme bloc de pierre qu'éclairait d'en haut un trait de lumière. C'était une pierre angulaire ou un autel pour toute l'humanité. Pepito, sa mère et son père s'abandonnèrent au silence; ils réfléchissaient à la paix.

Pepito se mit bientôt à réfléchir à son discours. Il voulait le dire à voix haute et faire entendre aux autres sa prière pour la paix dans le monde entier.

Mais Pepito était très fatigué. Il s'assoupit, puis s'endormit. Et, en dormant, il se mit à rêver.

Soudain, il vit très clairement un monsieur de haute taille et à l'air savant, un porte-documents sous le bras, s'avancer vers la grande salle de l'Assemblée générale.

Et soudain, Pepito marchait à son côté.

L'homme jeta à peine un coup d'œil à Pepito, et Pepito lui jeta à peine un coup d'œil.

"Est-ce que ce petit garçon accompagne le délégué?" chuchota l'un des guides.

Un autre guide haussa les épaules et dit "Sans doute".

Et les deux petits pieds continuèrent à avancer en compagnie des deux grands pieds. Ils entrèrent ensemble dans la grande salle de l'Assemblée générale. Le délégué se hâta vers son fauteuil et Pepito se hâta vers le devant de la salle. Un garde se hâta derrière lui.

"Où vas-tu, mon garçon?" dit le garde, prenant Pepito par le bras et cherchant à l'entraîner dehors.

"Là-haut", dit Pepito, montrant du doigt l'endroit où se tenait le Secrétaire général. "Je vais prononcer un discours."

Le garde serra plus fort le bras de Pepito. "C'est par là que tu vas", dit-il en le poussant vers la porte.

"Non, je vous en prie", dit Pepito.

Un deuxième garde apparut. "Que se passe-t-il ?" chuchota-t-il. "Est-ce que cet enfant fait partie de la famille de l'un des délégués ?"

Le premier garde n'avait pas pensé à ça. "Je ne sais pas", dit-il à voix basse, "mais il ne peut pas rester ici."

"Nous ne voulons froisser personne", dit l'autre garde.

Pendant qu'ils chuchotaient, l'un des délégués aux Nations Unies quitta son siège et vint à eux.

"Que se passe-t-il ?", demanda-t-il.

Ils le lui dirent.

"Un discours ?" s'exclama-t-il. "Un petit garçon ne peut pas faire de discours ici."

"Tout le monde est libre de parler", dit Pepito.

Un autre délégué vint se joindre au groupe. Il voulait savoir ce qui se passait. Ils le lui dirent.

Deux autres délégués se joignirent à eux, et le bruit de la conversation s'amplifia. Le Secrétaire général fit sonner son marteau. Il fit signe aux gardes de lui amener Pepito.

Lorsqu'ils furent devant le Secrétaire général, il leur demanda ce qui n'allait pas. Ils le lui dirent.

"S'il vous plaît, Monsieur", dit Pepito, "je veux seulement faire un discours, comme vous. Dans ce pays, tout le monde est libre de parler, et je suis sûr que c'est vrai aussi aux Nations Unies."

Pepito était arrivé à un moment grave. Deux grandes puissances se trouvaient en sérieux désaccord. Le Secrétaire général avait tenté de calmer un peu les interlocuteurs qui s'emportaient.

Il hésita quelques instants en regardant Pepito. Puis, comme c'était un homme sage et compréhensif, il demanda : "Quel est le sujet de ton discours ?"

"La paix", dit Pepito. "Je veux dire au monde comment maintenir la paix."

Le visage grave du Secrétaire général se détendit. "Nous souhaitons tous ardemment la paix", dit-il. Il hésita de nouveau. L'Assemblée traversait une crise. La situation était encore tendue entre les délégués antagonistes. Devait-il laisser parler le petit garçon ? Impossible. Pourtant... le Secrétaire général se souvenait d'une phrase entendue il y a bien longtemps : "Un petit enfant les conduira." Alors, posément, il prit son marteau et en frappa quelques coups pour demander l'attention.

"Messieurs les délégués", dit-il, "nous avons un visiteur inattendu — et il veut nous dire comment maintenir la paix."

La salle s'agita un instant, puis se calma.

Le Secrétaire général contemplait de ses yeux bienveillants toute l'assemblée des délégués. Il se pencha lentement vers Pepito et lui demanda : "Comment t'appelles-tu ?"

Pepito le lui dit.

Le Secrétaire général se redressa. Puis il se pencha encore : "Répète-le moi."

Pepito répéta.

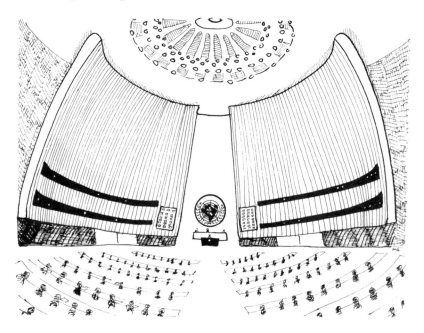

Le Secrétaire général se redressa et demanda le silence en frappant du marteau. "Nous avons un orateur", indiqua-t-il aux délégués des Nations Unies, "il s'appelle Pepito Gustafus Ivanovich Blair."

Les délégués des Nations Unies, qui avaient l'habitude des noms étranges, eurent l'air surpris. Mais Pepito savait qu'il avait le droit d'être ici aussi bien — et peut-être plus — que n'importe qui. Le sang qui coulait dans ses veines lui venait d'ancêtres de nombreuses nations.

La salle s'agita de nouveau, et le Secrétaire général donna quelques coups de marteau. Pepito avait la parole.

Pepito regarda avec curiosité ceux qui étaient assis devant lui — et qui représentaient pour l'humanité l'espoir d'une paix durable. Il le voyait aux visages des délégués de toutes les nations. Chaque homme d'Etat occupait son siège, prêt à exposer les opinions de son gouvernement. Ensemble, ils constituaient un monde uni désireux de se rassembler pour parler des difficultés dans l'espoir de les surmonter. En cette période où le monde disposait d'armes extrêmement puissantes, aucun espoir ne subsisterait si on ne pouvait pas en discuter. Pour l'humanité, c'était la seule chance de survie.

Pepito regarda à sa droite les personnes qui attendaient qu'il parle. Il regarda celles qui étaient à sa gauche. Il regarda celles qui étaient en face de lui. A sa droite, parmi les inconnus qui le regardaient fixement, il imagina son ami M. Graccioso. A sa gauche, il imagina M. Roberts. En face de lui, il voyait Mme Pulaski, Mme Aufheiser, Mme Callahan et Mme O'Leary, ses voisines. Pepito était prêt à commencer. Il fallait maintenant penser précisément à son discours. Il hésita encore un peu. Le Secrétaire général donna un léger coup de marteau et fit signe à Pepito de commencer.

Pepito sentait son discours lui tourbillonner dans la tête. Il ne pouvait pas commencer. Il ne s'en souvenait plus du tout. Il ne pouvait tout de même pas commencer au milieu ou à la fin. Il devait commencer au début, mais il avait complètement oublié le début. Tout avait disparu au moment où il s'était trouvé debout devant les représentants des nations du monde. Il fouillait dans tous les coins de sa mémoire, cherchant à retrouver le discours qui ne venait pas. Alors il baissa la tête.

S'il y avait un moment de sa vie où Pepito avait été malheureux, c'était celui-ci. Ici, devant l'Assemblée générale des Nations Unies, il s'était rendu ridicule. Il ne pouvait pas parler.

Il essaya encore une fois. Aucun mot ne venait. Ahuri et abattu, Pepito attendait debout le jugement et la miséricorde du monde. Il avait fait de son mieux, mais son mieux ne valait rien. Il ne pouvait même pas exprimer la première pensée de son superbe discours. Il ne pouvait pas prononcer un seul son pour mettre en mouvement le flot d'idées merveilleuses qui coulait de son cœur. Il ne pouvait pas leur dire qu'il avait découvert que la bonté fait beaucoup de bien dans un monde en conflit, et que prendre le temps d'écouter fait aussi du bien parce que l'autre personne a ainsi l'occasion d'exprimer ses opinions.

Pepito tendit les mains pour s'avouer vaincu, et secoua la tête. Lentement, il leva les yeux et sourit. Et comme le sourire de Pepito apparaissait sur son visage, il communiquait à ceux qui étaient devant lui l'émotion qui émane d'un cœur sympathique.

Alors, merveille des merveilles, Pepito vit ce dont il n'avait jamais rêvé — son propre sourire reflété par les visages de tous les délégués de tous

les pays du monde! Pepito sut qu'ils étaient tous
ses amis bien qu'ils soient venus de nombreuses
nations différentes. Un simple sourire les avait
réunis. Pepito n'avait pas prononcé le discours
qu'il avait préparé, mais son véritable discours
était son sourire, et ce sourire en disait plus long
que toutes les paroles de toutes les langues. Il disait
à tous ceux qui le voyaient : "Je suis votre ami et je
vous offre mon amitié." Tous les délégués ici
parurent le comprendre, puisque soudain ils l'en-
tourèrent en le félicitant et en lui disant que son
sourire était le meilleur discours qu'on ait jamais
fait. Quelqu'un lui tapota l'épaule, mais la foule
était si grande et Pepito tellement serré qu'il ne put

se retourner pour voir qui c'était. Le tapotement devenait de plus en plus insistant...

Pepito se réveilla. Il était dans la salle de méditation et son père lui secouait l'épaule. Tout était silencieux.

"Tu as dormi", lui murmura son père.

"Je sais", dit Pepito, "je n'ai pas prononcé mon discours. Ce n'était qu'un rêve."

"Tout le monde rêve", dit le père de Pepito pendant qu'ils quittaient la salle et traversaient le vestibule du bâtiment de l'Assemblée générale. "Il n'y a pas de mal à rêver."

"Cela fait du bien de sourire", dit Pepito d'un air pensif.

Sa mère parut un peu déconcertée, et son père aussi, mais sa mère dit prudemment : "Alors il faudra sourire souvent."

Ils sortirent au soleil sur l'esplanade des Nations Unies, et Pepito leva les yeux vers sa mère et son père en leur souriant de son sourire large et rayonnant. Ils lui rendirent son sourire, et beaucoup d'autres personnes en firent autant, des personnes venues d'autres pays et qui se promenaient sur la vaste esplanade, le long des drapeaux ondulants de nombreuses nations.

Un mot sur les auteurs...

Margaret et John Travers Moore ont écrit de nombreux livres d'enfants. Ils écrivent parfois séparément et parfois ensemble. Ce livre est dédié à un ami des auteurs qui a aidé ses proches voisins et servi la cause de la paix dans d'autres pays.

Dans *Le discours de Pepito*, un petit garçon découvre que la concorde et la bonté peuvent être données au monde par un simple sourire — signe d'amitié que comprennent tous les peuples du monde. John Travers Moore, qui est considéré comme l'un des principaux poètes américains pour enfants, et son épouse Margaret, écrivain, ont réuni leurs talents pour offrir cette histoire émouvante aux garçons et aux filles de tous les pays.